P9-ECY-867

Périgord sur Dordogne

Périgord
sur Dordogne

photographies Alain Bordes
texte Pierre Mazars

Chêne/Hachette

collection terroirs

*Je voudrais remercier ici toutes les personnes qui, par leur courtoisie et leur gentillesse, m'ont permis de réaliser ces prises de vues.
Les nommer serait trop long, le risque d'en oublier trop grand.*

Imprimé en Suisse

ISBN : 2 85108 281 7
ISSN : 0 153 0682

Une province française n'est pas une unité, mais une totalité. Ce n'est que de Paris, en repérant sur une carte un fragment de territoire déchiqueté comme un morceau de puzzle, que l'on imagine une entité. Sur place, la situation se révèle beaucoup plus complexe. On distinguait jadis le haut clergé du bas clergé; le pouvoir judiciaire se divise en magistrature du siège et en magistrature du parquet. Il en est de même pour la géographie. Tous nos fleuves ont leur haute et leur basse vallée. Le haut Quercy est plus montagnard que le bas Quercy. Il y a toujours un département qui se situe au-delà de son voisin, comme la Haute-Loire et la Loire tout court, les Hautes et les Basses-Pyrénées.

D'autres régions ont choisi, pour compartimenter leurs composantes, de se désigner selon des couleurs. Le département ressemble ainsi à un blason. Il est d'ailleurs curieux de remarquer que les parties d'un blason s'appellent des cantons, comme les subdivisions administratives d'un arrondissement.

Le Périgord a opté pour la solution chromatique. Il y a trois Périgord : le vert, au nord de Périgueux; le blanc, autour de Ribérac; et le noir, autour de Sarlat. Et comme tout est complexe dans notre vieux pays, le Périgord noir, quand on le parcourt, n'a rien de funèbre. Il ne mérite vraiment pas cet adjectif qui lui a été probablement attribué à cause des forêts qui lui servent de frontière. Je n'ose penser que la truffe noire soit à l'origine de ce fatal emblème.

Donc, la tonalité du Périgord prétendu noir est le vieil or. Une sorte de blondeur de miel, bien que l'élevage des abeilles soit exceptionnel dans cette contrée. Peu de ruches, et pourtant le paysage ressemble à un immense gâteau de cire. La terre est souvent argileuse, la pierre est jaune. Je parle, bien sûr, de la seule vallée de la Dordogne et de ses abords, dans un parcours bien défini qui commence à la limite du département du Lot et finit un peu avant Bergerac. Là s'ouvre une vaste plaine qui n'est pas vouée à une couleur, mais que l'on a baptisée « Dordogne girondine » parce qu'elle amorce la longue suite de vignobles qui file vers Bordeaux sans solution de continuité.

Nous voici blottis dans un rectangle de terre qui mesure *grosso modo* une centaine de kilomètres de longueur et une soixantaine de largeur. Il a pour capitale Sarlat où est né La Boétie, l'ami de Montaigne, et dont le manoir s'élève à l'entrée de la ville. Des tours très pointues, un toit à forte pente, comme c'est l'usage ici, et cette belle pierre de taille, tendre mais non gélive, qui accroche le soleil, qui est déjà une promesse de soleil. Sarlat a eu la chance d'échapper au tracé des grandes lignes de chemin de fer établies au XIXe siècle. Au temps où de rares automobiles circulaient sur les routes, par exemple celle du marquis de Biron fonçant vers Paris à bord d'une décapotable, vêtu d'une peau de bique d'aviateur et portant lunettes de mica, il fallait emprunter un omnibus départemental, devenu autorail, pour gagner les grandes villes. Cet isolement a protégé Sarlat, a empêché son pouls de battre trop vite. On y a vécu jusqu'à la dernière guerre au rythme des diligences. Les seules industries sont des conserveries.

Comme dans toutes les régions à l'écart du grand trafic, les habitants ont acquis un comportement qui s'apparente à celui des îliens. On s'est enfermé au pied des belles collines dominées de châteaux. Le Sarladais est, avec la vallée de la Loire, le pays de France le plus riche en châteaux et gentilhommières. Le revers de la médaille est que, à l'abri de la vigilance administrative et à une époque où le Service des monuments historiques fondé par Mérimée manquait de personnel, on s'est laissé aller, au XIXe siècle, à un bricolage immobilier qui a saupoudré de verrues les chefs-d'œuvre d'architecture épargnés miraculeusement par le vandalisme révolutionnaire. Le vieux Sarlat était aussi encombré d'appendices affligeants ou ridicules que le Marais à Paris. Les touristes, les campeurs, les spectateurs du festival, le plus ancien de France et l'un des rares qui n'aient pas sombré, ne peuvent imaginer ce qu'était la ville avant sa restauration exemplaire accomplie il y a une vingtaine d'années.

Mais cette ville retrouve sa beauté et son originalité. Elle connaît sa seconde renaissance puisque c'est à la Renaissance que la plupart de ses logis à meneaux, ornés de sculptures, d'écussons, ont été bâtis. L'hôtel sarladais est puissant mais non massif. Il est plus bourgeois qu'aristocratique, plus campagnard que citadin. Ses sculptures ne lui sont pas ajoutées comme une parure maniériste que le caprice du propriétaire aurait imposée. Pas de ces dentelles de pierre trop ouvragées qui ressemblent à la main chargée de bijoux d'un nouveau riche. L'ornement s'intègre à la façade. Tout a été conçu comme un ensemble. C'est probablement le terroir de France où la Renaissance atteint un équilibre exemplaire entre la rigueur et la fantaisie. L'italianisme est reçu non sans réticence, assimilé, dompté par une bonne santé et un sens de l'économie bien terriens. Le détail, le motif saugrenu ou coruscant ne jouent pas des coudes pour se faire remarquer au détriment du tout qui est d'emblée perçu clairement par le regard.

La solide architecture féodale continue à guider les architectes et, jusqu'au XVIIIe siècle, nouvelle floraison sarladaise, elle imposera la fermeté de ses volumes.

Le Sarladais n'a pas besoin d'une architecture grandiose parce que c'est le paysage lui-même qui est grandiose. Ici, la Dordogne ne coule pas entre des falaises escarpées. Son lit est large, flanqué de vastes terres alluvionnaires qui s'en vont clapoter au pied des collines où sont juchés des manoirs, des forteresses, des villages fortifiés. Il fallait bien se barricader pendant la guerre de Cent Ans. Mais tous ces bastions, malgré leurs chemins de ronde et leurs tours crénelées, malgré la qualité et la personnalité de leurs formes, l'efficacité de leur position, n'encombrent pas l'espace. Ils y sont semés comme des coléoptères qui se reposent sur une immense vitre. Ni dominateurs, ni intimidants comme les burgs du Rhin ou les châteaux des Carpathes, ils se trouvent souvent réduits par l'échelle du paysage aux dimensions d'un bibelot bonhomme que confirment les nuances douces de la pierre.

Le plus extraordinaire, d'ailleurs, dans ce pays, c'est ce qui demeure invisible au promeneur. Je veux dire les fameuses grottes de Lascaux, de Font-de-Gaume, de Domme. Le monument que l'abbé Breuil appelait la chapelle Sixtine de la préhistoire est resté caché pendant des siècles. C'est un berger à la recherche de son chien qui découvrit l'entrée de la salle aux bisons. Il faut bien que cette région ait eu un pouvoir bienfaisant, et pas seulement que les hasards de la géologie aménagent un habitat naturel, pour que les premiers hommes l'aient choisie pour s'y installer.

J'en conclus que ces trésors dissimulés et cette architecture dédaigneuse d'ostentation expliquent le caractère du Périgourdin. C'est un homme équilibré, débonnaire, entreprenant, mais modéré dans ses ambitions. Ce n'est pas un conquérant; le « Paris, à nous deux ! » ne le stimule pas. Il se sent si bien chez lui qu'il n'est pas tenté d'aller voir ailleurs s'il y a mieux. Y songerait-il qu'il jugerait aussitôt que cette hypothèse est absurde. Le Périgord est à la France ce que la France est au monde. Un pays qui se suffit à lui-même, qui s'aime, qui ne se hasarde à l'aventure que contraint et forcé, casanier au meilleur sens du terme, et qui s'effare de voir tant d'étrangers désireux de partager sa douceur de vivre. Il ne s'en étonne pas puisque son bon sens lui indique qu'on ne peut qu'avoir raison en imitant sa conduite. Et bien qu'ébahi, bousculé dans ses habitudes, il ouvre sa porte poliment, ou même gentiment.

Montaigne n'appréciait pas les cordonniers qui savent faire de grands souliers pour de petits pieds. Ainsi du Périgourdin qui ne cherche pas à paraître autre qu'il n'est. Bien sûr, Montaigne, on s'attend à le voir citer à propos d'un pays qui est en partie le sien. Mais cette référence n'est pas une référence routinière, obligatoire, à l'un des grands hommes de la province d'Aquitaine. Il n'est pas une page des *Essais* où l'on ne tombe sur une réflexion propre à la vision du monde périgourdine. Le rythme de la phrase lui-même, sa cadence lente, ses parenthèses précautionneuses sont calqués sur l'élocution particulière aux gens de ce pays. Montaigne n'emprunte pas seulement ces sentences à des dictons et à la sagesse locale. Il s'exprime avec des inflexions de voix qu'on entend encore aujourd'hui. Il écrit avec l'accent.

Dans ce très vieux pays, la préhistoire reste donc invisible et la présence de l'Histoire infiniment discrète. La terre n'a pas été remodelée non plus par les invasions de la technique. Sarlat, contrairement à d'autres villes de même format, n'a pas été obligée de s'entourer de ces affreux glacis qu'on appelle zones industrielles. Le retour de retraités au pays et l'arrivée de citadins en mal de résidences secondaires ont fait germer quelques pavillons banlieusards, mais ce fâcheux intermède a été bref. Chacun a bien vite pris conscience du capital de beauté qui lui était confié. On bâtit désormais des maisons neuves, mais à l'identique des fermes anciennes. L'aborigène qui a fait fortune se fait construire un pastiche de manoir avec une exactitude scrupuleuse. La maison est ainsi conçue, comme elle le fut dès le premier peuplement, en fonction du site. Elle s'efface devant lui au lieu de tenter de lui en imposer.

Il en résulte que, pour une fois, l'étranger et l'autochtone ont la même vision du paysage, y éprouvent les mêmes sensations, s'y sentent l'un et l'autre aussi à l'aise. Trop souvent la campagne veut singer la ville, on remplace les lanternes par l'éclairage au néon. Ou bien c'est une province qui a perdu son identité, dont l'âme rurale s'est évaporée, que l'apport citadin a phagocytée et qui cherche à aguicher les nouveaux venus de la façon la plus canaille et la plus basse, en plantant de faux décors rustiques, en mobilisant des figurants déguisés en paysans. On médit des maires du dimanche qui viennent entre deux trains s'occuper de leur commune; on devrait aussi dénoncer les bourgs qui ne revivent que le temps du week-end. Le Sarladais, même quand, au cœur de l'hiver, ses hôtes ne lui rendent que de rares visites, ne change ni de costume ni de coutumes.

Aussi cette vallée offre-t-elle le même visage aux divers types d'individus qui la parcourent. Ailleurs, c'est seulement l'amateur d'architecture ou de soleils couchants qui jouira d'un site en éliminant tout le contexte social tandis que l'homme de la terre, préoccupé de rendement, demeurera indifférent à la beauté et s'accommodera difficilement des contraintes qu'elle impose. On aperçoit bien de-ci, de-là, en Périgord, quelques vilains hangars à tabac et des porcheries qui ressemblent à des garages. Mais ils ne sont pas méchamment agressifs. Ils s'insèrent timidement. Ils ne manifestent pas cet acharnement trop fréquent à asservir la nature, à rappeler en tout lieu l'omnipotence de la machine. Ce que l'homme élimine, dans ce cas, c'est tout ce qui peut rappeler l'ornement, l'artifice, la gratuité... Autant dire l'inutile.

Cette terre est donc acceptée, perçue par tous en bloc. Assumée. Mais quelle en est la structure fondamentale, le *signe,* comme dit un poète allemand ? Romano Guardini écrit que *L'Iliade* lui fait penser à une mer agitée. A quoi nous fait penser le Périgord ? A un gâteau de cire, je l'ai déjà dit, mais aussi à un de ces larges pâtés, farcis de poires, que les cuisinières périgourdines appellent une *flognarde,* à cause, sans doute, de sa forme bombée, de sa croûte légère et dorée.

Voilà l'image que je retiendrais du Périgord noir si j'avais à le résumer en une forme et une couleur. Image empruntée à la gastronomie paysanne : le paysan, ici, règne toujours en maître. Entrer à Sarlat, ce n'est pas aller à la ville, c'est retrouver en plus grand qu'au village l'imbrication du logis ouvragé et de la ferme aux lignes nettes. La cité ne se sépare pas de la campagne. Elle ne donne pas l'impression d'une tête ou d'un cœur qui aurait jadis commandé à la région, fait des petits un peu partout, établi des satellites, saupoudré le territoire de bastions ou d'exploitations afin de se protéger et de se nourrir. Elle paraît, au contraire, avoir connu les mêmes débuts que les autres villages, la même évolution. Mais le hasard est aussi grand en histoire qu'en biologie, et il a fait que la croissance de Sarlat a été plus rapide, que son organisme est devenu plus grand, plus fort, plus robuste. On n'y éprouve pas la puissance maternelle, tutélaire qu'ont certaines villes. On rend visite à un grand frère, qui a un peu mieux réussi, mais que le succès n'a pas grisé, qui ne renie pas sa famille.

Il est un mot de la langue française qui prend ici un sens très particulier et qui prête à équivoque quand on n'est pas initié aux finesses du vocabulaire rural. C'est le mot *fier*. Dans sa signification usuelle, il désigne le contentement de soi, la satisfaction d'appartenir à un groupe, à une civilisation. Et, à cet égard, le Périgourdin, quand il se compare à ses voisins immédiats, le Limousin et le Quercynois, ne doute pas de faire partie d'une lignée plus fine, plus élégante, mieux née, plus riche aussi. Le Girondin l'intimide quelque peu. Le Gascon possède autant de bien. Mais les provinces limitrophes du Nord et de l'Est font figure de parents pauvres. Tous les microcosmes connaissent ces clivages subtils.

Mais dans son acception méridionale, et le Périgord, puisqu'il est situé au sud de la Loire, appartient à l'Occitanie, le mot *fier* s'applique aux rapports des hommes entre eux et dénonce celui qui se croit supérieur non pas aux groupes qui habitent de l'autre côté de sa frontière, mais à la communauté dont il fait partie et à l'homme à qui il parle, ou plutôt à qui il dédaigne d'adresser la parole. « Il est fier » se dit de l'orgueilleux, du prétentieux, de celui qui se croit d'essence supérieure. Il s'ensuit que le comportement social se fonde sur un sentiment profond d'égalité. Mais l'étranger, c'est-à-dire le nouveau venu, aurait tort d'en conclure qu'il soit nécessaire, pour réchauffer l'atmosphère, de tomber dans l'excès contraire et d'adopter une familiarité triviale. Chacun doit percevoir les mérites, les qualités de l'interlocuteur, les apprécier, les comparer aux siens. Ils ne sont pas de même nature, mais ils se valent. Tu es plus savant que moi, mais je suis plus rusé. Tu es plus riche, je suis plus travailleur. L'erreur consisterait à croire, et surtout à faire sentir, que telle catégorie sociale implique une souveraineté.

L'automobile, la télévision ont modifié le genre de vie, elles n'ont pas entamé ce vieux fonds de civilisation. L'aristocratie terrienne elle-même a toujours respecté ce code psychologique. Il n'est, pour s'en assurer, que de lire les lettres adressées sous l'Ancien Régime par les propriétaires de grands domaines à leurs régisseurs. Les distances sociales sont aujourd'hui de plus en plus raccourcies. Beaucoup de grandes familles se sont éteintes ou disloquées. Le temps n'est plus où un châtelain vivait comme le marquis de Saint-Papoul dont un des héros des *Hommes de bonne volonté*, de Jules Romains, organise la campagne électorale près de Bergerac vers 1914.

Le grand homme de province à Paris, comme disait Balzac, quand il revient au pays, perd aussitôt son statut de personnage officiel. Cela ne veut pas dire qu'on lui manquera d'égards, mais qu'on reprend possession de lui. J'ai entendu des villageois appeler leur compatriote, conseiller d'État à la retraite, « notre Henri ». Ainsi disaient les Béarnais du bon roi Henri IV.

Les tracteurs ont remplacé les chevaux de trait et les bœufs, mais le rythme de la vie n'en est pas plus accéléré. Le temps reste le facteur décisif pour se connaître. Si nous faisons un peu de métaphysique élémentaire, nous avons remarqué que, en Périgord, avec l'espace tout est simple. Aucun problème. On comprend tout de suite la géographie et la topographie de la contrée. Tout s'étale comme une grande nappe. Il reste bien, cachés derrière des lignes de collines, des recoins sombres, broussailleux, hantés par les biches et les sangliers. Ce ne sont que des résidus de l'ancienne forêt méridionale. Tout ce qui pouvait être mis sous la dent de la charrue a été depuis longtemps déboisé.

Il en va autrement avec le temps. Toute société rurale a besoin de lenteur, d'abord parce qu'elle est tributaire des saisons. Elle attend la croissance, elle est suspendue au mûrissement. L'impatient s'expose à des déboires. Ensuite, parce que toutes les innovations des ingénieurs agronomes, si bienfaisantes et efficaces soient-elles, ne peuvent être appliquées comme sur une terre vierge. L'équilibre écologique ne peut subsister que si l'on s'accroche à quelques lois dont la fatalité est démontrée par la tradition et l'expérience. La tradition s'accompagne souvent de prudence. Elle fait que nous ne pouvons pas nous empêcher de regarder en arrière tout en marchant. Le sculpteur Zadkine, qui était né en Russie et qui s'était installé à la limite du Périgord, me disait que ce pays lui faisait penser à un animal qui ne pouvait se déplacer que très lentement parce que sa queue — la tradition — était trop lourde pour son corps.

Tout cela pourrait inquiéter les économistes, les planificateurs et programmateurs de tout poil, mais le Sarladais a la chance de ne pas être un pays de grande culture. Les produits de sa terre n'ont pas changé depuis des siècles et, à quelques améliorations près, dues à la mécanisation, on les récolte en famille. C'est un des rares pays où la ferme ne pourra jamais se transformer en usine agricole parce que les surfaces sont trop faibles et que les productions ne nécessitent pas d'engins compliqués. Cette stabilité de l'exploitation agricole explique que le paysage et la vie paysanne soient restés en paix.

Cette paix, le paysan l'a conquise péniblement et ne l'a conservée que par intermittences. Les hommes préhistoriques se sont étripés, mais les annales ne conservent d'autre trace de leurs combats que les reconstitutions approximatives que sont les fresques académiques de Cormon et les récits de J.-H. Rosny, tel *la Guerre du feu*. On vit pire pendant les guerres de religion, et le Moyen Age avait connu la lutte des gangs que furent les seigneuries et les baronnies rançonnant les gabares le long de la Dordogne. Cette province ne fit partie du royaume de France que sous Henri IV. Au Périgourdin très curieux de son passé, les érudits locaux n'ont cessé d'apporter quantité de brochures, de tirés à part, de monographies d'une typographie et d'un brochage immuables depuis le XIXe siècle, qu'on trouve sur les rayons des « bons libraires » de Sarlat. Il existe même une Académie du Périgord et j'en aurai fini avec cette courte évocation des belles-lettres en mentionnant Eugène Le Roy : *Jacquou le Croquant* a plus fait pour la connaissance du Sarladais que *Pontcarral*, qui est situé dans les parages à l'époque du Premier Empire, mais qui n'a pas bénéficié d'une série télévisée.

Seulement le Périgord d'Eugène Le Roy revu par un cinéaste est beaucoup plus noir que nature. Ai-je assez fait comprendre que le manichéisme n'est pas dans la nature de ses habitants ? « Jouis agréablement du présent, le reste est hors de ta portée ! » Montaigne avait inscrit cette sentence sur une poutre de sa librairie et elle me paraît contenir tout l'art de vivre au bord de la Dordogne. Ces Géorgiques saisies par l'objectif d'Alain Bordes en témoignent. Nul éleveur, ici, n'a l'ambition de transformer en mini-Rungis le marché hebdomadaire de Sarlat. Un marché ? C'est plutôt aux préparatifs d'un banquet que nous assistons devant ces tréteaux tendus de linge. La balance moderne n'a pas complètement détrôné la balance dite « romaine » en fonte, empruntée à la cuisine et qui sert à peser les oies ou les champignons. Champignons veut dire cèpes, les rois indiscutés de la forêt. Les autres espèces ne sont que « bricoles ». Ne battez pas les bois à l'aveuglette. Les champignons se trouvent (on ne trouve pas des champignons, la syntaxe souligne qu'il s'autodécouvrent) toujours au même endroit. Encore faut-il connaître ces nids immuables. Comme le coin mystérieux où se cachent les truffes. Pourquoi sous tel chêne plutôt que sous son voisin ? C'est ainsi.

Après la truffe et le cèpe, le troisième rang de la hiérarchie est occupé par le foie gras qu'on ne mange jamais frais, mais en conserve. Le foie gras frais est une invention de Parisiens et d'ailleurs, jadis, le foie gras n'était servi qu'aux cérémonies familiales. Mais cette noble conquête du Périgourdin a fait le tour du monde et les exploitations locales ne suffisent plus à la demande. La guerre des foies a commencé. Les oies de Dordogne se défendent contre l'invasion de leurs congénères hongroises, israéliennes, et il faut bien reconnaître qu'un volatile est, comme le vin, l'émanation de son terroir, du maïs qu'il a mangé et ce maïs de la terre où il a poussé, du soleil qui l'a fait mûrir. Le foie gras, à une modeste échelle, est en Périgord la plus grande victime de la mécanisation. Jadis on élevait quelques oies dans chaque ferme et l'aïeule se chargeait du gavage en faisant ingurgiter du maïs, à l'entonnoir, à la bête qu'elle tenait serrée entre ses genoux. A l'entonnoir a succédé le tuyau actionné mécaniquement, puis électriquement. Aujourd'hui l'hypertrophie du foie est conférée à des milliers de victimes, et à une cadence qui nuit à la qualité de ces viscères de luxe.

Mais le paysan garde deux fers au feu. Il a son troupeau d'oies qu'il destine aux conserveurs et qui surpassent, de toute façon, les races d'importation. Et il élève dans sa basse-cour quelques palmipèdes à qui on fera leur affaire ni trop tôt ni trop tard, quand la rondeur réglementaire de leur abdomen indiquera que leur dernière heure est arrivée. Ce sera la *Cuisine des oies,* équivalent de la *Cuisine des anges,* journée de liesse, la grande salle de la ferme, qui est aussi la cuisine, livrée aux femmes en tablier, manches retroussées, joues cramoisies, jouant de la hachette et du couteau. Et il y aura aussi la cuisine du cochon et le jour du chevreuil, poursuivi, abattu et partagé par les chasseurs à certaine date que décide et surveille Monsieur le lieutenant de louveterie.

Le Sarladais a connu des siècles d'autarcie. Il a fait pousser son blé, cuit son pain ou, à tout le moins, apporté sa farine au boulanger du village. Il a récolté son vin. Il n'a pas mangé les moutons qu'il élevait ni les bœufs de travail quand ils étaient trop vieux. Il les a accompagnés à pied, en sabots, jusqu'à la foire où il les a vendus aux maquignons. Il s'est contenté d'élever un ou deux porcs et de vivre là-dessus toute une année. Mais la soupe aux haricots était épaisse grâce au lard et à la graisse d'oie. Là-dessus, quelques verres de son petit vin de coteau, des noix et des châtaignes. De temps en temps une mique, qui est un pâté au petit salé. L'été, des cerises sauvages, des pêches de vigne. On ne faisait pas bombance, mais on vivait solidement de ce qu'on appelle en d'autres régions la ferme et ici la propriété. Il arrivait pourtant, avant les remembrements récents, que la propriété ne dépasse pas une dizaine d'hectares.

Les choses n'ont commencé à bouger qu'entre les deux guerres. Le premier pactole déversé fut le tabac. Concession attribuée par l'administration et surveillée par des fonctionnaires pompeusement nommés « Ingénieurs du tabac ». Exploitation qui n'exige ni beaucoup de bras ni de force physique, dont les phases occupent une grande partie de l'année, qui tache et poisse les doigts, mais qui paie bien. Le paysan sarladais était trop habitué à son ordinaire, à ses cultures pour changer radicalement son mode d'existence. Les machines lui ont permis de multiplier son rendement, sa table est mieux et plus diversement garnie, mais il va toujours du même pas entre la forêt et la rivière. Il se repose de la coupe de bois en pêchant, très nonchalamment, très parcimonieusement, à bord de barques à fond plat.

Je ne sais si cette existence douce et raisonnable durera encore longtemps. Le Sarladais a connu une période d'émigration, d'attraction citadine qui a provoqué la désertion de certains villages. Beaucoup d'étrangers ont ramassé la truelle. Alors les autochtones sont revenus. Les uns stimulés par l'exemple de ces hôtes qui venaient du froid. Les autres bougonnant contre les nouveaux venus. Mais les étrangers du Nord, qu'ils soient de Bruxelles ou de Paris, appartiennent à l'espèce citadine. Ils arrivent, ils restent ou ils repartent. Quelquefois parce qu'ils sont fiers, comme je l'ai dit. Ou pour d'autres raisons. Parce qu'il préfèrent la ville grise à cette blondeur épandue sur la campagne. Blondeur des vignes, des noyers, des cèpes, du maïs mélangés. Un mélange comme celui du tabac de Sarlat avec celui de Virginie et d'Orient qui donne les Gauloises bleues. Mélange, cela se dit *blend*, n'est-ce pas ? dans la langue du Prince Noir qui occupa l'Aquitaine durant la guerre de Cent Ans. Quelle coïncidence ! *Blend* blond, c'est tout le Périgord noir.

Pierre Mazars

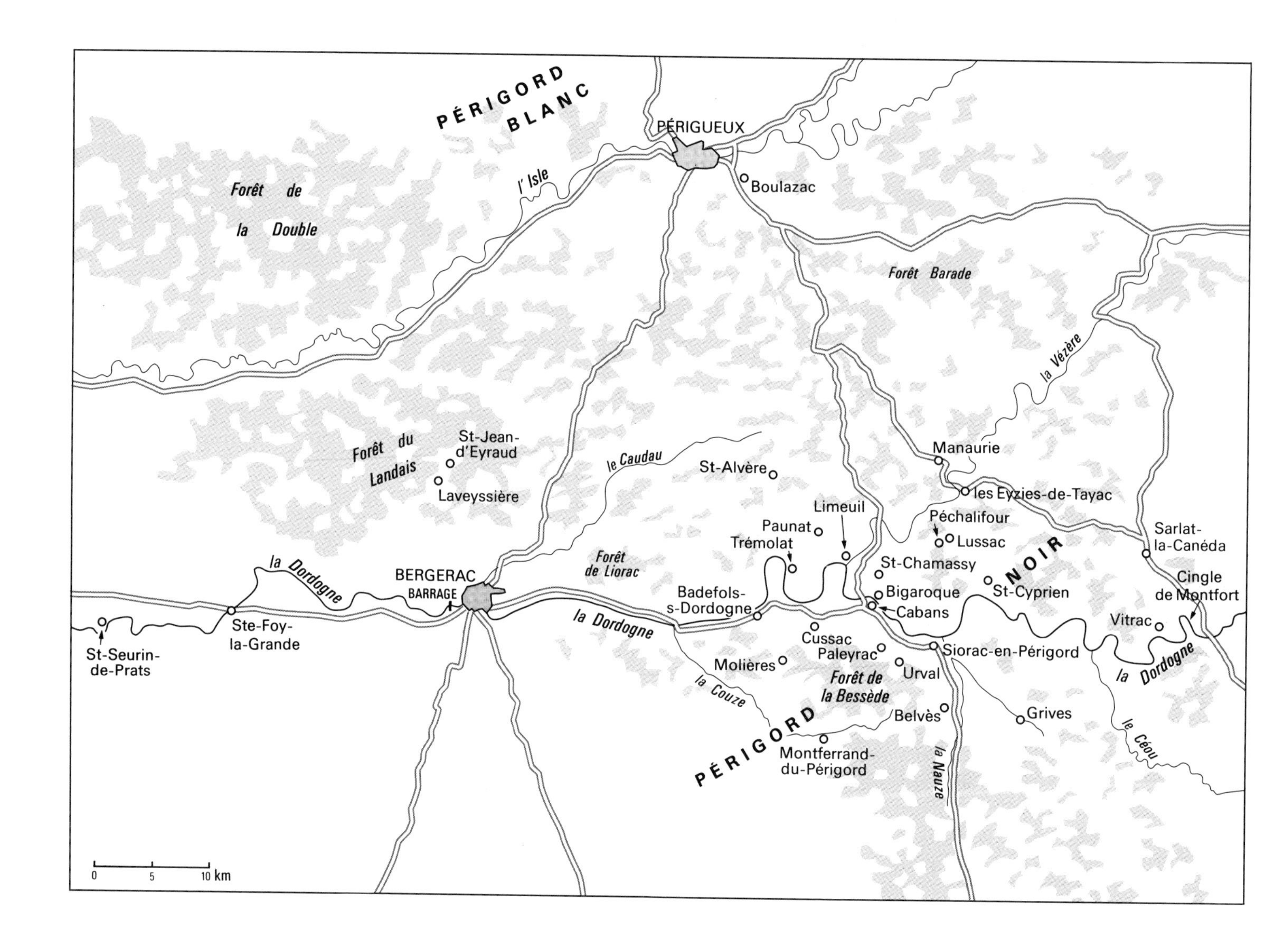
PÉRIGORD BLANC
PÉRIGUEUX
Boulazac
l' Isle
Forêt de la Double
Forêt Barade
la Vézère
Forêt du Landais
St-Jean-d'Eyraud
Laveyssière
le Caudau
St-Alvère
Manaurie
les Eyzies-de-Tayac
Péchalifour
Lussac
Sarlat-la-Canéda
Limeuil
Paunat
Trémolat
Forêt de Liorac
St-Chamassy
NOIR
St-Cyprien
Bigaroque
Cabans
Cingle de Montfort
la Dordogne
BERGERAC
BARRAGE
Badefols-s-Dordogne
Vitrac
St-Seurin-de-Prats
Ste-Foy-la-Grande
Cussac
Paleyrac
Siorac-en-Périgord
Molières
Urval
Forêt de la Bessède
la Couze
Grives
Belvès
le Céou
PÉRIGORD
Montferrand-du-Périgord
la Nauze
0 5 10 km

Légendes

1 Coteaux de Saint-Cyprien
2 Région de Grives
3 Entre Fontenilles et Paleyrac
4 Hameau de Cussac
5 Plaine de Trémolat
6 Cène, filet aux aloses; barrage de Bergerac
7 Région de Vitrac, lancement de l'épervier
8 Fabrication des bourgnes à lamproie
9 Pêche à la lamproie, relevage des bourgnes. Saint-Seurin-de-Prats
10 Les toitures périgourdines de la région de Montferrand
11 Péchalifour
12 Lussac : M. Liabot
13 Urval : Maison en fête
14 Lussac : La visite du curé
15 Lussac : M. et Mme Liabot
16 Coteaux de la Faurie à Urval
17 Plaine de Cabans
18-19 Fenaison à Saint-Chamassy
20-21 Fin de journées d'été
22 Plaine de Paleyrac, irrigation du tabac chez M. Perrot
23 Coupe du tabac chez M. Grolière à Trémolat
24-25 Séchoirs à tabac
26 M. Mandeix, dernier ferronnier de Sarlat
27 Le marché du samedi à Sarlat, devant la maison de La Boétie
28 Place du marché au Peyrol-de-Saint-Alvère
29 Coiffe et dentelles lors de la félibrée de Belves
30 Tertre de Carême
31 Trémolat, le plan d'eau
32 La Bessède vue de Capelou. Région de Belves
33 Paunat : l'église fortifiée
34 Coteaux d'Audrix
35 Plaine de Trémolat
36 Pommier
37 Plantation de noyers, les filets placés sous les arbres facilitent la récolte
38 Vicq, séchage familial des noix
39 Belves, marché aux noix
40 Siorac, peupleraie
41 La Dordogne à Vicq
42 Forêt de la Bessède, ramassage des châtaignes
43 Forêt de la Bessède : M. Martigne, le charbonnier
44 Forêt de la Bessède : M. Farjot, le caraçonnier (caraçonne : piquet de vigne)
45 Manaurie : route forestière
46 à 48 Chasse au chevreuil, région de Laveyssière
49-50 Distillateur ambulant à Saint-Jean-d'Eyraud
51 Plaine de Limeuil
52 Coteaux de Molières
53 Région de Badefols
54 Cingle de Montfort, oies et noyers
55 Ferme Boissavy : Boulazac
56 Gavage chez M. Mares à Urval
57-58 On saigne et on plume le canard gras chez M. Philiparrie, à Urval
59 Extraction des foies
60-61 Foire au gras à Sarlat, le foie et la truffe
62 Matinée de givre
63 Inondations à Bigaroque
64 Matinée de givre

1

3

5

7

9

11

3

17

21

Ferronnerie
Sur Commande

3

37

47

48

51

57

58

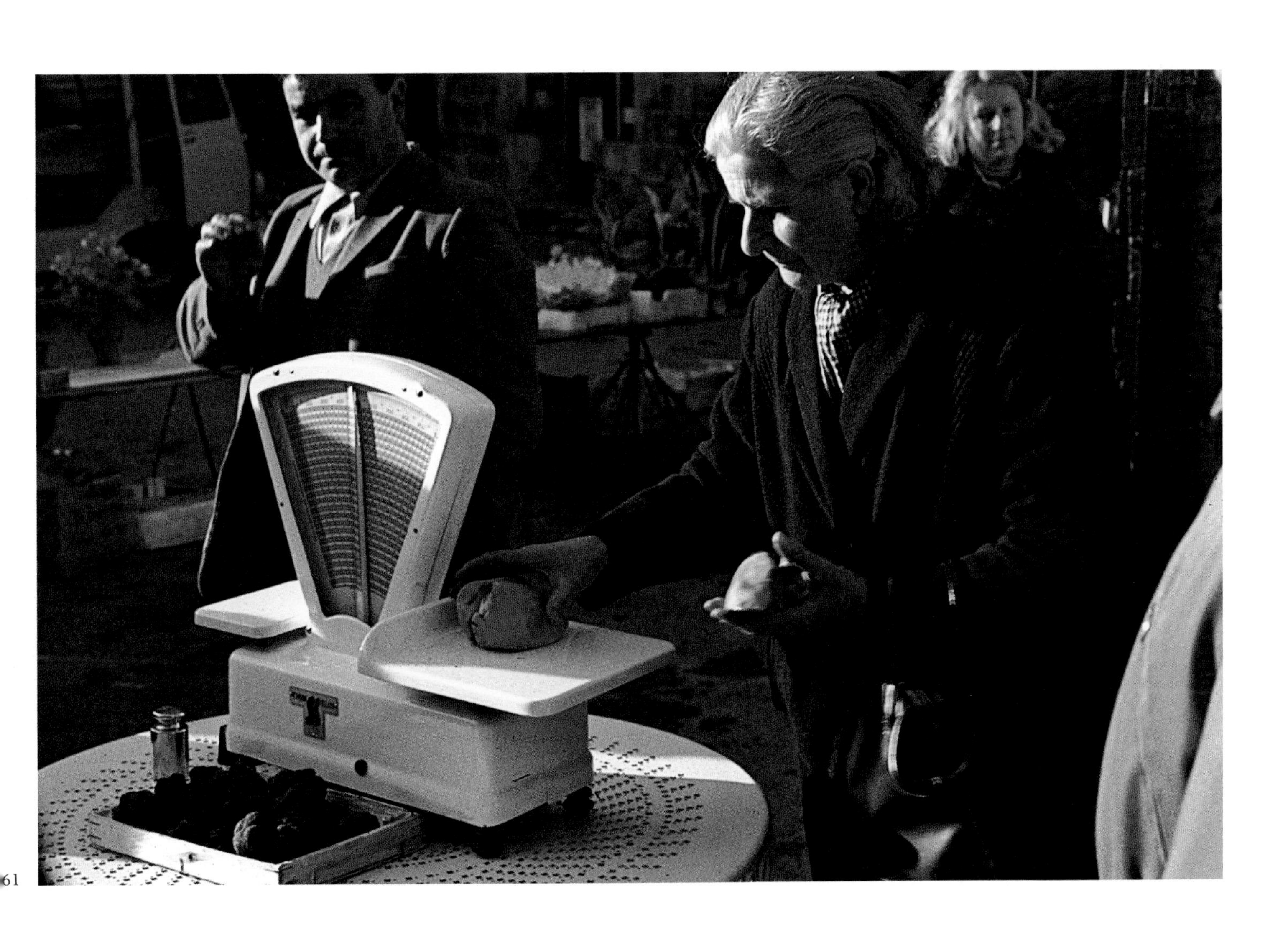

Achevé d'imprimer sur les presses
de l'imprimerie Courvoisier à La Chaux-de-Fonds, Suisse
le 26 février 1981

Photogravure Atesa/Argraf, Genève

Dépôt légal : 2349/34 0430 8
1er trimestre 1981